SOUDAIN

HAÏKUS

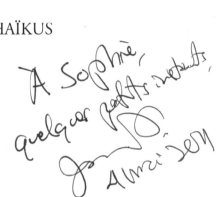

Jeanne Painchaud

SOUDAIN

**accompagné de photos
de Serge Clément**

Les Éditions
David

Les Éditions David remercient de leur appui :
Le Conseil des Arts du Canada,
le ministère du Patrimoine canadien,
par l'entremise du Partenariat interministériel
avec les communautés de langue officielle (PICLO),
le Secteur franco-ontarien du Conseil des arts de l'Ontario
et la Ville d'Ottawa.

Elles remercient également :
Coughlin & Associés Ltée,
le Cabinet juridique Emond Harnden,
la Firme comptable Vaillancourt ♦ Lavigne ♦ Ashman.

Données de catalogage avant publication (Canada)

Painchaud, Jeanne
      Soudain / Jeanne Painchaud.

Poèmes.
ISBN 2-922109-89-5

    1. Titre.

PS8581.A485S69 2002   C841'.6   C2002-903341-1
PQ3919.2.P237S69 2002

Maquette de la couverture : Pierre Bertrand
Mise en pages et montage : Lynne Mackay
Photographie : Serge Clément

Les Éditions David, 2002
1678, rue Sansonnet
Ottawa (Ontario) K1C 5Y7

Téléphone : (613) 830-3336   Courriel : ed.david@sympatico.ca
Télécopieur : (613) 830-2819   Internet : www3.sympatico. ca/ed. david/

Le Conseil des Arts | The Canada Council
du Canada | for the Arts

ONTARIO ARTS COUNCIL
CONSEIL DES ARTS DE L'ONTARIO

À André et Carol,
pour leur complicité

Ma bouche garde en elle l'obscurité.

Louise Warren, *Bleu de Delft*

un vent violent
cette nuit dans mon rêve
tourné en cauchemar

buvant mon café
une pensée pour celle
qui en a cueilli les grains

devant mon miroir
le mot fait un peu frémir
irréversible

quel que soit votre âge
dit ma carte de fête
vous ne le faites pas

lumière d'automne
c'est la fin de quelque chose
mais de quoi?

un chien sans laisse
perdu comme moi
dans le brouhaha du soir

sur l'asphalte
des ombres vont et viennent
fumée de l'usine

dans le sentier du marais
le goût sucré des trèfles
et celui, amer, dans ma bouche

l'été s'en va   toi aussi
qui sait si vous reviendrez

sur la falaise
au bord de la route
il est écrit   *Je t'aime*
pour n'importe qui

d'une flaque d'eau
repêcher un billet de loto
on ne sait jamais

pêcheur du dimanche
dans le canal Lachine plonge
un martin-pêcheur

1er novembre Jour des morts
et toujours des bombardements

dans le cimetière
un cortège passe   des pommes
dans l'herbe pourrissent

cage de verre
une mouche lutte à la fenêtre
contre les apparences

même les yeux ouverts
j'aurais besoin aujourd'hui
d'un chien pour aveugles

mur d'une église
un néon rouge clignote dans la nuit
MON ÂME   MON ÂME

sur le boulevard
les feux tournent au rouge
en domino jusqu'à moi

scène de trottoir
un homme parle tout seul
à qui parle-t-il ?

immobile un goéland
sur la tête de Norman Bethune
presque vivant

à la porte du cimetière
un panneau pourtant banal :
Sans issue

brodé sur un sac de cuir
pour rien   j'y lis
le mot *esprit*

premières neiges
les petits Inuits font-ils
des bonhommes de neige ?

dans la glace, une mitaine
quelque part dans la ville
une petite main gercée

sur le pare-brise
des fleurs de givre
paysages si près de soi

dans la tempête
un panneau enneigé
indique l'infini

mur antibruit
miniature de banlieue
de la Grande Muraille

sur le viaduc trop bas
un énorme DANGER affiché —
et tous les autres plus petits ?

usine de désencrage
des mots fantômes   dans la fumée
dans ma bouche et mes bronches

contours flous
il a neigé
sur le bonhomme de neige

hall du centre d'achat
les chaises roulantes toisent
les poussettes

décembre :
croisant un sans-abri
autant de sacs que lui

métro – un homme
cogne des clous sur son livre
Pourquoi les hommes
ne comprennent jamais rien

cellulaire à l'oreille
un homme et une femme se croisent
et se parlent peut-être

plus que nu
dans l'orme dépouillé
le nid d'écureuil

dans la tempête
apprendre ce que veut dire
un cœur en hiver

odeurs et aiguilles
souvenirs de sapins sur l'asphalte
janvier au marché

hublot —
de la neige au sol
ce brouillard si bas

deux corbeaux sur un fil
regardent le jour se lever
eux aussi

lune de février
au fond du jardin
des momies en forme d'arbuste

cimetière enneigé
l'allée déblayée
pour les vivants

passer devant une église
appelée *Le chemin du Paradis*
sans même broncher

Mile End tout blanc
un bonhomme de neige en forme de
Bouddha

dans sa poussette
un bébé yeux bridés
mange un *Fortune cookie*

de la glace jaune
au pied de l'arbuste
un chien ? qui d'autre

sous le lampadaire
des flocons et leur ombre
quelques secondes encore

buée sur la vitre
vérifier furtivement
si on a toujours une âme

à la fenêtre
sentinelle inutile
les yeux d'un chat

canal Lachine
des traces dans la neige grise
un lièvre invisible

à contre-jour sur les fils
des notes de musique
en forme d'oiseaux

Insectarium
manque de courage devant une
sauterelle sauce soya

au mur du McDo
au lieu de *Nous embauchons*
lu *Nous embaumons*

si loin de la mer
une mouette étire son ombre...
sac vert matinal

pleine lune
le lampadaire faiblit
jaloux

hasard au cimetière
sur l'aile d'un ange pétrifié
les serres d'un corbeau

lendemain de veille
poumons de cendres

sirène de déneigeuse
un bébé se retourne
dans le ventre de sa mère

sous l'escalier
tout près des crocus en fleur
veille une pelle à neige

cabane à sucre
oreilles-de-Christ dans l'assiette
du petit Mohamed

pousse de tulipe
feuille d'automne
l'une dans l'autre

presqu'improbable
le premier jour du printemps
voir une hirondelle

ciel d'avril
dans la fin du jour
ce goéland rouge

Pâques à Manhattan
on affiche *Open for prayer*
à la porte d'une église

au musée, les os de Lucy
et ceux d'un plus jeune
d'un million d'années

ta main douce
ma main rugueuse
et l'air doux de Central Park

dans le pare-brise
roulent des feuilles d'automne
bourrasque d'avril

entre chien et loup
un borgne fait l'aumône
à un aveugle

loto de 34 millions —
une vieille sœur en costume
joue pour la première fois

deux pigeons roucoulent
au-dessus de la marquise
d'un bar de danseuses

printemps sur l'asphalte
une tourterelle triste jauge
un nid-de-poule

amertume d'avril
vulnérable tout à coup
sans manteau d'hiver

ruelle de Pointe-Saint-Charles
vieille brassière noire — silencieuse
sous la pluie froide

toilettes mixtes
par intermittence   on jurerait
que les urinoirs applaudissent

banc de parc
un vieux monsieur bedonnant
bouddha ordinaire

douleur d'une flaque d'eau
combien de ronds dans l'eau
durant l'averse ?

ce soir   mon ombre
dans les bras   dans les jambes
de personne

vitrine d'une librairie
un chat assoupi
sur la poésie de Rimbaud

ombres de lettres
devanture d'une ancienne banque
plus qu'un mauvais souvenir

ciment frais !
avant qu'il ne soit trop tard
y mettre le pied

derrière la poussette
un papa
aussi sur roulettes

Grande Réouverture du Canal
débris et détritus
voguent vers les écluses

printemps rue Centre
une pub affiche *J'aime la vie*
pendant qu'on fouille dans les poubelles

sou noir dans le carré d'arbre
laisser la chance
au prochain passant

graffiti rue Saint-Laurent
Intifada
gagnera

blanc sur blanc
mon magnolia en fleur
dans la giboulée de mai

entre deux pierres tombales
pousse une fleur
pour rien ni personne

double rideau de larmes
un squeegee ne parvient
qu'à essuyer mon pare-brise

sur les immenses lèvres
dans le ciel du Musée d'art
une fiente de pigeon

Côte-des-Neiges : sur la terrasse
du Café Couleur Café
des hommes très noirs

sur l'herbe
des centaines de goélands
vaincus par le vent

pluie rue Cherrier
par la fenêtre me regarde
un nain de jardin

île du fleuve au loin
l'élégance d'un pylône
presqu'une tour Eiffel

près du fleuve
éphémères neiges de mai
des milliers de mannes

rue sombre
se surprendre à épier aux fenêtres
éclairée

petit samedi matin
arraché quelques cheveux gris
puis des pissenlits

un plant de tomates
sur un bâton de hockey sectionné —
sport d'été

les fleurs de mon prunier
sentent déjà les prunes
et les pucerons

déménagement
l'amour à nouveau si léger
les boîtes si lourdes

sur le patio
une fourmi en déroute
dans l'ombre de ma tête

dans le métro
des yeux bridés m'observent
j'écris un haïku

Jeanne Painchaud

Née à Montréal, Jeanne Painchaud se passionne pour le haïku depuis une dizaine d'années. Après le recueil *Le tour du sein* (Triptyque, 1992), elle écrit un premier recueil de haïkus, *Je marche à côté d'une joie* (Les Heures bleues, 1997), puis participe à plusieurs collectifs, dont *Haïku sans frontières : une anthologie mondiale* (sous la direction d'André Duhaime, Éditions David, 1998 et 2001) et *Une enfance bleu-blanc-rouge* (sous la direction de Marc Robitaille, Les 400 coups, 2000). *Soudain* est son troisième recueil de poésie.

Serge Clément

Né en 1950 à Valleyfield, le photographe Serge Clément vit et travaille à Montréal. Très inspiré par l'urbanité et les villes, il a réalisé de nombreuses images du Québec, des Amériques, de l'Europe et de l'Asie. Issu de la tradition photographique documentaire, il a adopté, ces dernières années, un regard plus introspectif qui laisse une large place au non-dit et à une libre interprétation de l'image. Son œuvre fait partie de plusieurs collections privées et publiques, dont le Musée des Beaux-Arts de Montréal, la Bibliothèque nationale de Paris et le Heritage Museum à Hong Kong.

Liste des photographies
de Serge Clément

Autres recueils consacrés au haïku
publiés aux Éditions David

BEAUDRY, Micheline et Jean DORVAL, *Blanche mémoire*, Ottawa, 2002.

Chevaucher la lune, sous la direction d'André Duhaime, Ottawa, 2001.

Dire le Nord, sous la direction de Francine CHICOINE et André DUHAIME, Ottawa, 2002.

DUHAIME, André, *Cet autre rendez-vous* (Préface de Robert Melançon), Orléans, 1996, 2ᵉ tirage (1999).

DUHAIME, André et Gordan ŠKILJEVIĆ, *Quelques jours en hiver et au printemps* (Dessins numériques de Louise Mercier), Orléans, 1997.

DUHAIME, André et Carol LEBEL, *De l'un à l'autre* (accompagné des encres de Gernot Nebel), Orléans, 1999.

Éphémère, ouvrage collectif, Ottawa, 2002.

FAUQUET, Ginette, *Ikebana*, Ottawa, 2002.

GAUTHIER, Jacques, *Pêcher l'ombre*, Ottawa, 2002.

Haïku sans frontières : une anthologie mondiale, sous la direction d'André DUHAIME, Orléans, 1998, 2e tirage (2001).

Haïku et francophonie canadienne, sous la direction d'André DUHAIME, Orléans, 2000.

PAINCHAUD, Jeanne, *Soudain*, Ottawa, 2002.

PARADIS, Monique, *Étincelles*, Ottawa, 2002.

RAIMBAULT, Alain, *Mon île muette*, Ottawa, 2001.

RAIMBAULT, Alain, *New York loin des mers*, Ottawa, 2002.

Rêves de plumes, ouvrage collectif, Ottawa, 2001.

Saisir l'instant, ouvrage collectif, Orléans, 2000.

VOLDENG, Évelyne, *Haïkus de mes cinq saisons*, Ottawa, 2001.